밀짚모자 일당

쵸파에몬 【 닌자 】
토니토니 쵸파

'새의 왕국'에서 '강한 약' 연구에 몰두하다.
재합류에 성공.

[선의 현상금 100베리]

루피타로 【 낭인 】
몽키·D·루피

해적왕을 꿈꾸는 청년. 2년의 수련을 거쳐,
동료와 합류. 신세계로 향한다!

[선장 현상금 15억베리]

오로비 【 게이샤 】
니코 로빈

혁명군 리더이자 루피의 아버지 드래곤이
있는 바르티고를 거쳐, 합류.

[고고학자 현상금 1억 3000만베리]

조로주로 【 낭인 】
롤로노아 조로

어두우르가나 섬에서 자존심을 버리고 미호크
에게 검의 가르침을 간청. 이후 합류에 성공.

[전투원 현상금 3억 2000만베리]

프라노스케 【 목수 】
프랑키

'미래국 벌지모어에서 자신의 몸을 더욱 개조.
'아머드 프랑키'가 되어 합류.

[조선공 현상금 9400만베리]

오나미 【 여닌자 】
나미

기후를 분석하는 나라, 작은 하늘섬
'웨더리아'에서 신세계의 기후를 배워 합류.

[항해사 현상금 6600만베리]

본키치 【 유령 】
브룩

수장족에게 잡혀 구경거리가 되었으나, 대스타
'소울킹 브룩'으로 출세해 합류.

[음악가 현상금 8300만베리]

우소하치 【 두꺼비 기름 장수 】
우솝

보인 열도에서, '저격의 제왕'이 되기 위해
헤라크레스의 가르침을 받고 합류.

[저격수 현상금 2억베리]

바다의 협객 징베
【 전 (前) 왕의 부하 칠무해 】

인의를 관철하는 사나이. 빅 맘과의 격전 당시
루피를 도주시키기 위해 최후미를 맡았고,
습격 전에 합류.

[조타수 현상금 4억 3800만 베리]

상고로 【 소바장수 】
상디

'뉴하프만 왕국에서 뉴커머 권법의 고수들과
대전. 한층 더 성장하여 합류.

[요리사 현상금 3억 3000만 베리]

Shanks
샹크스

'사황 중 한 사람. '위대한 항로' 후반
'신세계에서 루피를 기다린다.

[빨간 머리 해적단 선장]

와노쿠니 (코즈키 가문)

아카자야 아홉 남자

코즈키 모모노스케
[와노쿠니 쿠리 다이묘 (후계자)]

여우불 킨에몬
[와노쿠니의 사무라이]

덴지로
[전(前) 환전상 쿄시로]

안개의 라이조
[와노쿠니의 닌자]

잔설의 키쿠노죠
[와노쿠니의 사무라이]

아슈라 동자 (슈텐마루)
[아타마야마 도적단 두령]

요코즈나 카와마츠
[와노쿠니의 사무라이]

이누아라시 공작
[모코모 공국 낮의 왕]

네코마무시 나리
[모코모 공국 밤의 왕]

소낙비 칸주로
[와노쿠니의 사무라이]

코즈키 히요리 (코무라사키)
[모모노스케의 여동생]

트라팔가 로
[하트 해적단 선장]

불사조 마르코
[전(前) 흰 수염 해적단 1번대 대장]

이조
[전(前) 흰 수염 해적단 16번대 대장]

오타마

시노부

꽃의 효고로

캐럿

완다

키드 해적단

유스타스 키드
[키드 해적단 선장]

킬러 [살인귀 카마조]
[키드 해적단 전투원]

백수 해적단

'정보꾼'

스크래치맨 아푼

[온에어 해적단 선장]

백수의 카이도
【사황】

수차례 고문과 사형을 당하고도 아무도 그를
죽일 수 없어, '최강의 생물'로 불리는 해적.

[백수 해적단 총독]

'대간판'

화재(火災)의 킹

역재(疫災)의 퀸

가뭄해의 잭

'토비롯포'

블랙마리아

후즈 후

'신우치'

바질 호킨스

바오황

페이지원

울티

사사키

NUMBERS

쟈키

고키

난기

핫챠

쿠뉴

쥬키

께 싸우기로 맹세한다. 그리고 옥상에서는, 루피와 카이도의 맞대결이 시작된다!! 하지만 사황의 벽은 높아 루피는
이도에게 패하고 만다. 루피의 부활을 믿고 싸움을 이어가는 동료들은 간부와 격렬한 싸움을 펼쳐 토비롯포를
파한다!! 이때, 고대했던 루피가 부활하고 용이 된 모모노스케와 함께 재차 카이도가 있는 옥상으로 향한다. 그곳은
이도와 야마토 부녀 대결 중이었으나, 야마토가 서서히 밀리던 위기의 순간, 마침내 루피가 등장!!

빅 맘 해적단

빅 맘
샬롯 링링 　　【 사황 】

'사황' 중 한 사람. 통칭 빅 맘.
수명을 뽑아내는 '소울소울 열매' 능력자.

[빅 맘 해적단 선장]

C・페로스페로

[샬롯 가 장남]

와노쿠니 (쿠로즈미 가문)

쿠로즈미 오로치

카이도와 손을 잡고 와노쿠니를 지배. 코즈키
가문에 원한이 있으며 교활하게 군다.

[와노쿠니 쇼군]

백수 해적단을 이탈하고 루피와 공투(共鬪)로!

쿠로즈미 칸주로

[오로치 측 내통자]

X 드레이크

[전(前) 토비롯포]

후쿠로쿠쥬

[전(前) '오니와반슈' 대장]

호테이

[전(前) '순찰조' 총장]

오로치 오니와반슈

[전(前) 와노쿠니 쇼군 직속 닌자 부대]

야마토 [자칭: 코즈키 오뎅]

[카이도의 딸]

다이후고

스피드

햄릿

포트릭스

브리스콜라

미제르카

포커

오타마의 능력으로 백수 해적단을 배반!

Story ・줄거리・

2년의 수행을 거치고, 샤본디 제도에서 재집결에 성공한 밀짚모자 일당. 그들은 어인섬을 거쳐 마침내 최후의
바다, '신세계'에 이른다!! 루피 일행은 모모노스케 측과 동맹을 맺고, '사황 카이도 격파'를 위해 와노쿠니에 상륙.
동지를 모아 오니가시마로 돌입한다!! 섬 내부 각지에서 싸움이 시작된 와중, 카이도의 딸・야마토는 루피와 만나.

ONE PIECE
vol. 102
'천왕산'

CONTENTS

제 1026 화
'천왕산'

표지 리퀘스트 '새끼 사자에게 예쁜 옷을 만들어주는 나미와 레오' P.N 에피

와아아 아 아아아아아…!!

쿵챙♪ 시끌 시끌

쿵챙♪ 와글 와글

와글 와글

쿵챙♪♬

와하하 하하하!!

용서해주라요!!
스승님.

어디를
가느냐!!
오타마아!!

……
…….

오토코 즐거우냐?

시끌
시끌

쿵챙♪

까하하
하

응!!

와글 와글

……
……

와하하하

쿵챙♪

오타마는 무사한 것인가.

안 돼!! 돌아와——!!!

저희가 반드시 지켜내겠어요!!

도저히 안절부절 견딜 수가 없이야요!!

두두오오오…!!

수수께끼의 용에 대해 보고드립니다!!

쿠구구구…

쿵챙♪ 쿵챙♪

바다 저편… 알 방법도 없지.

부상을 입은 야마토 도련님 혼자!!

현재 옥상에는

그리고 상공에… 믿기 어려운 광경이…!!

쿠구구…!!

네가
물어뜯은 건
'사황'이야!!

......
...!!

무서울 게
있나?!!

이 세상에
아직

!

!!!

오니가시마를
막고 와!!

알겠소!!

가!!
넌 날 수
있어!!

......

....
......!!

아니, 그런
터무니없는
......!!

그래.
설마
그 용......!!

'모모'라고
했지.

없다!!!

어...

......
......

루피타로
씨이!!

모모노스케
니임~~~
~~~!!!

내게 이길
가능성
이라도

있는
거냐?!

파직~ 파직 파직..!!

무한하게
있지!!

살아
있으니까

모모 군
~~!!

오라비
......!!

해치워버려,
루피!!!

크하하
하하!!

오오오오!!

루피타로 씨
~~~!!!

격파!!

'빅 맘 해적단'
장남
페로스페로

끄어어억
~~~~!!!

'가뭄해의 잭'
격파!!

'백수 해적단'
대간판

……
……

하아…
하아…

……아니,
나와는
상관없나……!!!

거짓말이지……?
잭 녀석이……!!

'견공
스파이어'
!!!

（나라현 · 후지모토 타카히사 씨）

D(독자) : 에이! 다들! 가끔은 오다 쌤이 'SBS를 시작합니다'라고
말할 수 있게 해주자구! 자, 오다 쌤!
(0.1초) 네, 그런 연유로 SBS가 시작되었습니다!!
　　　　　　　　　　　　P.N. 야토 스미타로

O(오다) : S...!! 시작됐네, 뭘―!!
0.1초 가지고는 무리거든?!!

D : 행복 펀치 피규어를
갖고 싶어요. 　P.N. 노부오 선장

O : 시끄러워!!
초장부터 뭐냐고!! 피규어는
360도 회전되니까 아웃이잖아!!

D :

> 루피랑 키드랑 로가 가위바위보 하면
> 누가 이길까요? 미래가 보이는 루피일까요?
> 　　　　　　　　　　P.N. 타이세이 (6살 이상)

O : 네ㅅㅅ. 이거 굉장한 질문이군요! 확실히 루피는
미래를 볼 수 있으니까 이길지도 모르죠―!
하지만 루피는 치사한 짓을 싫어하니까
미래를 안 볼 거 같아요―. 이 세 사람은
사이가 나쁘니까 누가 이기든 간에
싸울 게 뻔해요!

D : 오다 선생님 배꼽! 에넬이 실제로, 청해에서 해적이 됐다면
어떤 해적기를 달게 될까요??
매우 궁금해요. 이런 거? ➡　　　P.N. 시바

O : 아, 그걸로 가죠―.

제 1027 화
'상상을 뛰어넘는 위기'

표지 리퀘스트 '사자 얼굴에 낙서를 한 로저가 유쾌하게 도망치는 모습' P.N 토모키야

!! 야망이!!!

제대로 방어한 줄 알았는데 완전히는 무리였어.

뇌명 팔괘…!!

아….

그 입 다물라!! 머리로는 알고 있소!!!

사람이 그리 쉽게 바뀌리라 생각 말지다——!!!

누… 누가 근성 없는 녀석이오——!!

빠————방!!

저 근성 없는 녀석 좀 도와줘!!!

적당히 해!! 모모!!

어이, 야마토!! 모모노스케

야마토……!!

?!!

차앗!!

괜찮아. 모모노스케 군!!

내가 옆에 있어!! 아까는 미안해. 네 곁을 떠나가서!!

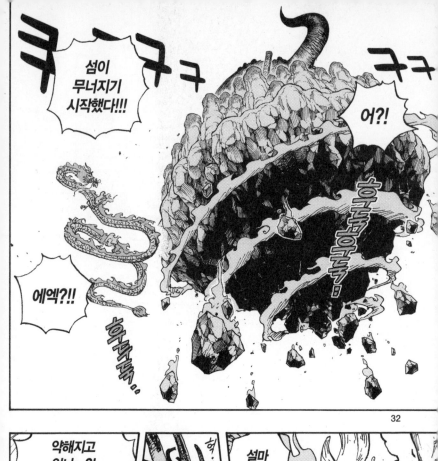

섬이 무너지기 시작했다!!!

어?!

에엑?!!

약해지고 있나…?! '불꽃 구름'이 불안정해져

설마 ……

갈라진 암반을 지탱할 수 없게 된 거야!!

카이도의 힘이…

'불꽃 구름'은 꺼냈잖아?! 할 수 있을 거야!!

!!

우리가 상상했던 것보다 사태는 심각했어 ………!!

그리고 소인에게 카이도와 같은 힘이 있다고 장담 못 하오!!

'불꽃 구름'이 사라진다면 '오니가시마'는 그대로 지상에 곤두박질치게 돼!!!

최악은 만에 하나 카이도 본인이 힘을 다해서

도읍에 수많은 희생자가 나올 거야!!!

──이 길 따라 카이도의 꿍꿍이대로 착륙한다면

이 '오니가시마'는 거대한 폭탄이나 마찬가지야!!

이미 이 거리라면

!!!

'오니가시마' 내부에는 믿기지 않을 양의 병기가 있어……!! 화약도 있고!!

제시간에 도읍 사람들이 피난하기란 힘들어 ………!!

!!!

쿵챙♪ 쿵챙♬

서쪽 시골

와하하하하

그럼 루피를 말려야……!!

엑….

섬이 낙하하면……!! 적도, 아군도 전멸이야!!

가까스로 서 있는 사내에게 너는 …………!!!

모든 걸 짊어지고 ………!!

꾸엑—!!!

바보—!!!

따

악!!!

누구에게도 알리지 않고 이 위기를 극복하는 거야!!!

루피가 아니면 카이도는 못 쓰러트려!!

그에게 이 상황을 알려선 안 된다구!!

'클리어 랜스'.

'이검류'

떨어진다!!

적어도 검으로 죽여라…!!

용서 안 한다!!!

두둑!!

으.

하아…… 하아!!

위험 하잖아 ……!!

하아— 하아— 헉— 헉—.

네놈도다…!!!

—그런 말은 하지 않았다.

거짓말이라도 한다는 건가?!

성안 '내빈실'

그건 베가펑크가 만든 '악마의 열매'가 틀림없어!!

'밀짚모자 루피'와 함께 있었다!! 즉 카이도의 적대 세력이다.

카이도와는 다른 두 마리째 '용'이 눈앞에 나타난 거다!!

와아아아아아아아아아!!

'위'에서 지령이 떨어졌다.

만에 하나… 카이도가 패배했을 경우…!!

무슨 용무로 건 거냐?

………흥!!

잘된 일이군…. 어차피 해적끼리의 충돌.

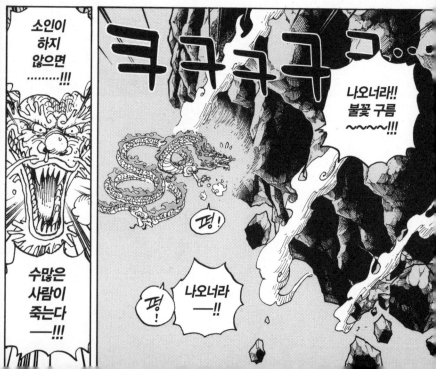

돔 안
'라이브
플로어'

와아아아 아아아아 아아아

므하하
하하!!

끄악-

콰광

'브라이팬'!!!

멈추질
않지이
~~?!!

까앙 뻐억!!

....
......!!

까앙 뻐억!!!

이봐,
꺼내라고
~~!!

부

으응!!

쿠웅!!

으앗!!

무거워…!!

'제르마 66'의 전투 슈트!!

……
…!!

후두둑

!!! 빠가

콰지근!!!

악!!

분명 사라졌었지?! 그건 저지의 과학력이렸다?!

아까 킹을 상대로 내보였지?! '전투 슈트'!!

상디──!!

블랙~~~~~~~!!

그 이름 부르지 말랬지. 남의 집안 사정도 모르면서!!!

자, 슈트를 입어라!! 빈스모크!!

──응? 역시 몸에 이변이…

아니, 가족도 아냐. 그딴 슈트 입을 거 같애?!!!

번쩍─억!

돌아왔다 ......!!

ㅋ화ㅏ!!

이 애송이!!!

상디!! 멍하니 있지 말고, 뒤란다~~~!!

설마... 그 녀석들과 같은 힘에 눈을 뜬 건 아니겠지...

삐어!!

꾁!!

빠악!!

뭐야, 이 몸......!!

?!!!!

아얏.

콰장창!!

때띠~잉!!

뭐어?!

그런 괴물이 되는 건...!!!

싫어!!!

엇.

D : 용이 된 모모노스케와 카이도가 대치하는 장면, 박력 넘쳐서 흥분했습니다!!!
　　이 장면 말인데 예전에 오다 쌤이 취재하러 갔던 켄닌지(建仁寺)의 쌍룡도가
　　모델인 거 맞아요?!
　　　　　　P.N. 츠봇치

O : 맞습니다〰.
　　와노쿠니에
　　들어가기 전에
　　교토에 다녀왔지요ー.
　　실물로 보고 왔습니다만 커다란 용 두 마리가 천장에 짜잔 그려져 있어서
　　박력 대박이었어요ー. 이거 꼭 그려야지ー 하고 생각했어요.

D : 프랑키는 잠을 잘 때
　　어떤 식으로 자나요?　　P.N. 설날 태생

반 뒤꿈치에
박달이 깁니다 →

O : 알기 쉬운 그림 해설이네요. 잠자는 건 괜찮아요.
　　프랑키는 후두부와 허리 부근에서
　　'프랑키 에어백'이라는
　　쿠션을 꺼낼 수가 있으므로,
　　어떤 곳에서도 쾌적하게 잘 수 있답니다.

D : 프랑키의 팔에 그어진 선은 털인가요?　　　　P.N. 타카타카

O : 털입니다.

D : 조로가 1010화에서 사용한 '구검류 아수라 발검 망자의 장난'은
　　라쿠고의 '지옥팔경(地獄八景) 망자의 장난'에서 따온 것입니까?
　　　　　　　　　　　　　　　　　　　P.N. 케이마

'망자의
장난'!!!

O : 맞아요ー! 친숙한 라쿠고 소재예요〰.
　　이해하고 말고요ー 다들 들어본 적 없죠ー!
　　타이틀 멋지잖아요?! 카츠라 베이쵸 사부의
　　특기였던 공연으로, 지옥을 관광하는 듯한 이야기인데
　　참 재밌습니다.

제 1029 화
'타워'

표지 리퀘스트 '보니와 해달의 완코소바 대결' P.N 아린코

왓왓왓……!!

부탁이다…… 그만해……!!

설마 '스마일'을 먹었을 줄이야…!!

불행하기 짝이 없구나, 킬러!!

그만해!! 왓왓왓!!

풋… 하하하.

그럼 왜 싸우지 않는 겁까──!!!

왓왓, 너희는 잠자코 시키는 대로 해….

뭐야, 저 녀석. 혼자서 기둥에 머리나 박아대고. 미친 거 아냐?!

킬러 씨, 왜 우리가 가세하면 안 되는 겁까?!

……

……

내 목숨이라면 주겠다…!!!

키드를 해방해다오.

답답해…!!

불길도 다가오고 있어!! 얼른 여기를 떠야 하는데!!

뿌욱… 뿌욱…

……
……

………
………
……!!

내 부하가
되겠다면
환영하마.

곧 깨달을 거다.
후회하는 게
어느 쪽인지!!

우리가
살고
있으니까!!

횟횟.

네가
죽을 거라
두려워한
미래를

이판사판
이다……….
하아…
하아….

네게 질문이
두 가지
있다….

——그럼
나도 후회가
없도록

해봐야겠군
……!!

무슨
소리지…?!
내 능력은
이해했을 텐데…!!

내가 입는
대미지는 전부
키드가 받는다!!
그 녀석의 짚 인형이
내 체내에 있는 한!!!

………
……?

그건
어디로
가지?

만약 네가
갈 곳 없는
대미지를 입으면

하아…
하아….

하아
…!

호킨스
씨!!

에엑?!

'스트로맨'이!!!

끄아악~~~!!!

ㅋㅋㅋ으음!!

!!!

'타워'.

이 싸움의 결판을 나타내라!!!

빠밤!

스트로맨은 죽지 않아…!!

끽!

엑~끼엑~!!!

카드에 맞춰… 부활한다!!

빠!!

밤!!!

호킨스
씨~~~~!!

키드~~~~!!

왜 그러지?!
갑자기
팔팔해졌구나.

'스트로맨즈
카드' '타워'.
그 의미란,

……
……

숨겨진
의미는——

'새로운
길'.

'낡은 것의
붕괴'.

그래, 몸이
가볍군….

파트너!!!

가라.

두!!

으!!

텅
썩!!

하아…
하아….

D : 오다 선생님 배꼽! 저는 예전부터 거짓말할 때마다 코가 길어지는데,
가장 좋아하는 우솝만큼 좀처럼 길어지질 않아요! 그래서 말인데
코 길이 베스트 5와 우솝의 길이를 알려주세요!!
P.N. 토이 베이커리

O : 과연. 이런저런 코쟁이 캐릭터의 이름을 거론해주셨는데,
텐구야마 히테츠와, 거인족은 빼고 가보도록 할게요.

우솝	반키나	카쿠	아론	키위	모즈

카타리나 데본	바스코 샷	폭시	몽도르	페로스페로

그럼 5위부터! '**카쿠**'입니다! 이어서 4위는 '**우솝**'!! 음~~ 유감.
역시 키 차이도 있고, 얼굴 큰 애들한테는 못 당해요! 덧붙여서
우솝의 코는 13cm입니다! 그리고 3위는 '**카타리나 데본**'!
2위는 '**아론**'! 그리고 코쟁이 챔피언은~~! '**바스코 샷**'!!
세상은 넓습니다. 이 기록을 경신하는 사람이 나타날지?!

D : 오나미의 가신이 되고 싶은지라, 오나미의 가슴팍에
출렁이는 큼지막한 수수경단을 받아 가도 될까요?
P.N. 사나닷치

O : 아, 우리 사나다 친구 아닙니까. 아ㅡ 수수경단이
갖고 싶다고요? 오나미의... 가슴 쪽이라...
썩 돌아가!!!

78

제 1030 화
'제행무상의 울림이나니'

표지 리퀘스트 '개미 군대의 행렬을 밟지 않도록 조심해서 걷는 브룩' P.N 에피

신용이 없기로는 피차일반이지!!

네게도 이득이겠거니 싶어 해주는 얘기라고!!

어이가 없군….

그런 너를 내가 신용할 것 같나?

와아아아

두 번 다시 안 와…!!!

이런 '찬스'는……

82

서둘러, 화재에 휘말릴 거다!!

에호.

에호.

코마치요, 정신 차려~~~~!!

와아아아

아아아!

성안 2층-1층 계단

2

1

B1

B2

웬 놈이냐!! 정체를 밝히거라붑!!

귀는 저쪽에 있잖아!!

우솝, 이쪽 목소리는 안 들려!

너, 괜찮냐!!

엄청난 출혈!!

으악!!

그랬지 참.

어쩌지? 음ㅡ.

그렇다면 부탁이 있소이다!!

동지인 것으로 알겠소붑!!

방금 그건... '반역의 초승달'?!!

응?

으힛♡

에잇.

....

성안 1층의 마주 보는 왼쪽 탑에 지붕 밑으로 통하는 입구가 있소.

미안하구려붑!! 뉘신 줄 모로오나 동지여!!

햄릿을 빌린다!! 타마를 부탁해!!

난 정말이지 인기 만점이군.

와아아아아

동료가
가냘프게
숨을 쉬고
있으니

부디 도움을
부탁드리는바
…………!!

……
……

와아아아아아아아…

대답해라!!!
칸주로.

지직…
어이…!!
지지직.

?!!

—하지만
칸주로도
이미
죽었다…

엇…….
설마 목을 날린
오로치의
목소리가……?!

로 공에게
베였던 몸…
제대로 붙지
않았던 것인가.

'기적'…!!
어떻게든
키쿠만이라도
목숨을
건진다면…

조금만 더
버텨라…,
키쿠……!!
지금 동지와
만났으니.

—그나저나
소인도 몸통을
절단당했는데
살아있다니
놀랍군.

※심중(心中) : 동반 자살

우선
한 녀석부터어
~~~♡

마~~마마
하하하하
하아~~!!

이봐,
트라팔가…!!

네 능력은
'각성'을
마쳤나?

키드
~~~!!!

체력 소모가
여간이 아니라
자칫 전투에
치명타가 돼!!

──아직
익숙하지 않아….
죽을 고비라면
쓰겠지만….

'비장의 수'를 써서 엄호해!!

!

나도 마찬가지다…. 이대로는 끝이 없어.

'애너스시저 (마취)'.

꽝!

'K·ROOM (크롬)'.

관통에 의미는 없다…!! 다만 'K·ROOM'은……

내부에서 '파동'을 만들지!!

으엇?!

떠엉!!

해액!!

위험해!!

탑의 철골이 다 드러났어!!

'빌레'!!!

'쇼크'

브헤엑 ~~~!!

'펑크'

!!!

마마, 피가 나 ~~~!!

마마 ~~~!!

94

'어사인 (부여)'!!

'자력'을 주마.

이 빌어먹을 애송이 ~~~!!!

무기를 뺏겼어!!

으앗.

뭐야, 내가 자석이라도 된 거냐!!

철컥!!

어라? 마마한테 붙잖아!!

·········
········!!

처…!!
철골에
찌부러졌어.

죽었겠는데,
이건……!!

빅 맘이라도…

헉…
헉…!!

괴물
할망구……!!!

어떠냐
……!!

하아…
하아…!!

라이브
플로어는
지옥이야!!

어떻게
돼먹은 거야?!
저 덩치!!

와아아아아 아아아

성안은
불바다라고!!

'이와토의
방'으로
돌아서 가는
수밖에…!!

와아아 아아아

정면은
병사투성이!!

잠깐 잠깐,
너 제정신
이냐!!!

이와토의
방——

'밀짚모자'와의
의리상 난 너를
해치워 둘 필요가
있어…………!!

스크래——
——치!!

'펑(爆)' ♬

네 공격은
이제
간파했다!!

네 위기는
여기에 3명의
'넘버즈'가 있다는
사실이지!!

체킷
아웃♬

까발리지
마셔!!

발동 조건은
'청력',
조준은
'시선'이야!!

공격의 궤도가
없는 것 같아도
분명히 있다…!!

야마토
도련님?!!

후——가——!!!

뻐벙!!

어?!! 그래?!

미안, 드레이크. 바빠서!!

'오니가시마'와 '꽃의 도읍'이 위기거든!!

콰지직!!

후가가!!

후가?!

엑——?!! 야, 어디 가. '후가'!!

제길…!! 야마토를 한편으로 삼아야 하는데…!!

어?!

아.

놓칠 것 같나, 아푸……!!!

자기?

이비

따라와라, 너희들~~!!

유곽은 안 열었지?! '제르마'!!!

이보셔~~!! 므하하하, 어디 갔었냐.

......
......

…이제 몸은 근질거리지 않아…. '변화'는 끝난 건가?

꺄악, 죄송해요. 저는……!!

카이도의 부하가 아니고…!!

분명 생각에 잠기기는 했는데….

피를 흘리고…!!

그다음 순간…, 그녀는 날아가서…

제발 못 본 척 해주세요 ………….

'꽃의 도읍'에서 끌려왔을 뿐인 게이샤예요.

—야,
루피.
너는
어느 쪽이
좋나?

……
……

겁에
질렸다…!!!

날 보고

냉혹하고…
무감정하지만…
이런 괴물까지
때려눕히는…!!!
명령만 받으면
누구의 몸이든
따버리는

—지금까지의…
적이 여자라면
속수무책인…
믿음직스럽지 못한
맨몸의 나랑…

오오♡
그게
제르마의
슈트냐!!

결심했다.

아직
어떻게 되는지
알 수 없지만
……!!

느윽…

'과학의
전사'…!!!
어느 쪽이
'해적왕'의
도움이
될까…?

'과학'이 눈뜬 거겠지……!! 그건 이제 별수 없어!!!

내 몸에 원래부터 있었던

땡그랑..

──아마 이걸 입은 탓에……

콰직!!!

──그렇지만 이 이상은 없다!!!

난 '제르마'가 되지 않아!!!

으헉──, 아깝게시리!!! 보이란 말이다, 변신~~~ ~~~~~!!!

콰아앙!!!

푸르르르르...

작별이다, 여탕!!! 이 싸움만은 끝내겠어!!

화륵

작별이다, 'GERMA'!!!

D : 우솝의 무기 · 검은 투구벌레랑 두꺼비 입 가방을
　　의인화해주세요.　　　　　　P.N. NEW 저격왕

O : 네, 알겠습니다.

D : 오다 쌤 안녕하세요! 예전부터 쭉 궁금했는데, 루피는
　　해적왕이라는 말을 어디서 처음 알게 된 건가요?
　　　　　　　　　　　　　　　　　　　P.N. 마사조

O : 샹크스의 이야기로 알았어요. 물론 샹크스가
　　'해적왕'의 배에 탔었다는 얘기는 하지 않았지만.
　　샹크스를 만나기 전에는 가프에게 '해병이 돼라'라는
　　소리만 들었는데, 자유롭게 모험하고 싶었던 루피는
　　막연하게나마 저항했던 것이죠.

D : 헬로, 오다 쌤! 1031화 표지로 생각건대, 하트 해적단의 No.2는
　　베포인 거 맞죠?! 펭귄, 샤치, 베포가
　　동료 No.2라고 생각했기에 놀라워요!
　　그들 중 베포(스론?)가 가장 강하다는
　　것일까요?　　　　　P.N. 푸딩 집

O : 그 표지는 말이죠, 조로도 마찬가지기는 한데, 모두가 '부선장'이라는 직함을
　　갖고 있는 건 아니에요. 제가 멋대로 픽업한 No.2들입니다. 평소에는 샤치, 펭귄
　　쪽이 의지가 됩니다만, 베포의 스론 모습을 본 적 있는 두 사람은 전력 면으로
　　따지면 베포에게는 못 당해...! 라고 인정하고 있습니다.

116

제 1032 화
'오뎅의 애도(愛刀)'

표지 리퀘스트 '검은 고양이와 야마토가 짐을 배달하는 모습' P.N 후카다 코코로

아푸!! 찰거머리처럼 또…!!

바쁘다니까!! 따라오지 마!!

야마토 도련님, 얘기 좀 들어 봐――!!

성안 지하 2층

B1
B2

콰콰콰

콰

쿠쿠

콰과

으앙

으와악, 넘버즈다아!!!

후가!!

후가가―!!

간만이지만 서둘러야 해!!

와

끄으...
......

콰

쓰싹

으걱!!!

털

쓱

푸쉭-!

아푸?!

......
...!!

제거할 뿐!! '불안
요소'는...

—그럼
변명이라도
하는 게
어때?!

!! 네 정체를
우리가
모를 줄
아는가?

X
드레이크.

하아… 하아…. 거 아프네…!! 정부의 킬러 놈들 같으니……!!

……뭐야. 살아있었나.

으.

저쪽이 시비 걸었다구……….!!!

네가 걸었겠지.

할 건가? 말 건가?

입 다물어.

너 역시 해병이지!!

용서 못 해, 저놈들.

'무장색' 쯤은 쓴다고, 멍청아.

……
……

……
……

돔 바깥
조로 VS
킹

하아…
하아….

저 벽은
잡아당기면
저렇게 되는
구조인가……?!

어…?

꾸구구국…

꾸구구국…!!

?!!

팟

빼애!!

'자존
(自尊)'

'초(貂)'

'황(皇)'.

방어 불가?!
레이저가
따로 없군
·······!!!

으와아
아악!!!

이렇게
사냥을
했지!!

머나먼
태고에
프테라노돈은

······

젠장…!!

하아, 하아.

그랬었군!!

'삼백육십 번뇌봉'!!!

아니.

아닌 거냐!!

설마 저 불타는 등도 프테라노돈의 특징인가?!

소모만 할 뿐이야……!!

헉, 헉.

어떻게든 못 맞추면 이쪽은

그렇다만…
나는
그 이상!!

……
…!!

결국
'용'도,
'공룡'도

튼튼함이
강점인가?!!

조금
특수할지도!!

칼로
승부해주마!!

나도 칼을
좋아한다!!

째
잉
!!

카
앙
!!

두
!!!

오
옹
!!

그것도
아닌 거
같아.

'능력'의
일부인 줄
알았지만

불꽃은
등에서 계속
불타고
있다.

……
…!!

째 쌕!!

째잉!!

참격은 몇 번이나 들어갔다.
──하지만 피도 안 나…!!!!
등에 달린 날개는 움직여…
장식이 아니지만
'비행'은 미확인.

어인족?
거인족의
피?

분명
내가 모르는
종족의 힘.

나는
이 자식을
………!!

무슨 답을
찾지
않으면…

샤미센…?!
그럴 리가
없지……!!

………?
무슨
소리지…
……?

…………?

하아…
하아….

하아…
하아….

이기지
못할 것
같다……!!!

'엔마'가!!!

화륵!!!

으아아아아아악!!!

이런 싸움터에서 무슨 장난이지…?

옆방인가…?

응?

샤미센 소리……? 말도 안 되는…

따리잉♪ 따딩 따덩♬

돔 내부 '보물전'

따리잉♪ 와아아아아 쿄쿄…잉♬

허?

……

……… 코…!!

따리잉 따딩 따리딩덩♬

으……!! 눈부셔…!! 누군가 있군.

설마 적인가?! 여기가 들켰나………?!!

스윽——

♬ 따리잉♪

코무라사키이
~~~?!!

잊을 수가
없더구나…

그날부터
너를 꿈에서
보지 않은
밤이
없다……!!

……

크크어…용…
히

오오~~~…
이곳은
저세상인가?
혹은
꿈이더냐……?!

저도
그럴사옵니다!!
나리……
언제든지

꿈이라면
깨지
말아다오
~~~~~!!!

당신 곁에
있을
것이옵니다.

생긋

D : 키드와 킬러 진짜
   멋져요! 키드 해적단의
   다른 동료들이 여기저기
   그려지곤 하는데, 이름을
   알려주세요.   P.N. 코타로

O : 네, 음— 러프 설정화를 공개해봅니다만, 전원은 아니에요.
    키드 해적단은 31명 있습니다. 기억하지 않아도 돼요! (웃음)

버블검
와이어
유스타스 '캡틴' 키드
킬러
파파스
히트
힙
기그
다이브
퀸시
에마
부기
렉
UK
재규어
하우스
펌프
홉
모시
디스크 J
모아이
콤포

134

제 1033 화
'시모츠키 코자부로'

표지 리퀘스트 '타시기가 나쁜 괴인이 되어, 히어로 놀이를 하는 아기 펭귄들에게 당해주는 모습'
P.N 소다스스

무슨
속셈이냐!!!

파앗!!

하?

반짝!!

뭣…

'적중'이다.

쿠슉

!!

!!!

콰과

아앙

?!!

방금 전 전보벌레, '해적 사냥꾼'이지?!

킹한테는 못 이길걸……!!

므하하하하~~~~~!!

해골돔 좌뇌탑 '유곽'―

자연계의 온갖 환경에서

생존 가능한 괴물.

그 녀석은 절멸했을 터인

'루나리아족'의 생존자!!

……
……

역사에 물어봐라!!!

그딴 건!!

그런 놈들이 왜 절멸하지?

먼 옛날에는 '신'……!!

그게 그놈들의 호칭이었다!!

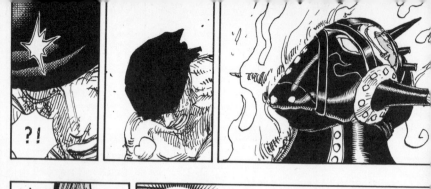

?!

블! 블!

'초(貂)'

전혀 안 통했다고?!

빠

까각… 까각…

밤!!

뭐?!

그맷!!

쓰 액!!

'자존(自尊)'

이럴 때!!!

으앗!!

콰

야, 잠깐만!! 엔마!!

룩

!!!

방금 건 명백하게 '큰 기술' 이었는데!!

철컥…

'황(皇)'!!!

억!!

!!!

'삼대귀철'!!

!

칼에게
발목 잡히는
검사!!

처음
봤다!!

……그래. 그러려무나.

사부님!! 쿠이나의 검 저한테 주세요!!

화도일문자.

으아아아아!!

아으……!! 하아… 하아….

다행이다 ……… 떨어지지 않았어.

나, 그 녀석 몫까지

강해지겠어요!

천국까지 내 이름이 알려질 만큼

세계에서 제일 강한 대검객이 되고 말겠어요!!!

뜬금없어서 머리가 따라가지 못했는데… '이스트 블루' 변경에 어째서

'와노쿠니'의 칼이 있었지?

세상에 낳은 이는 같은 인물!!

명공 '시모츠키 코자부로'!!

그 하얀 칼 '화도일문자'와 '엔마'를

어찌 된 인연인지

마을의 할배……
늘 해안에 있었던
그 영감의 이름은
쭉 몰랐지….

하아…
하아….

나도
말해본 적이
없거든.

예전에
마을 할배한테
배웠을 뿐이라

에엑?!

덜썩

……
……

하앗!

50년도 더 전에
이 나라에서
위법 출국한
남자다.

명공
'시모츠키
코자부로'.

할배가 죽은 날
처음 알았다.
쿠이나의
할아버지라는 것을.

그래,
'스내치'!!

타앗!!

와아!!

시모츠키
마을——
(조로의 고향)

13년 전
'이스트
블루'

마음을
북돋아 주는
주문이다!!

깡

와

일심 ✕ 도장

설마 오뎅은

이만큼 패기를 빼앗겨도

칼은 참 솔직해. 악의가 아니야⋯⋯. 분명 그래.

그렇다면 부족한 건 내 힘이다!!

응? '엔마'.

거뜬하게 싸웠던 거냐⋯?!

150

이 정도 양의 패기를 계속 방출하는 건 목숨이 위태로워.

어떻게 하면 되지⋯⋯?! 패기를 안정시키려면⋯!!

킹 씨!!

봐!! '해적 사냥꾼'이다!!

그거면 돼!!

?!!

아니⋯⋯.

승격이 틀림없다고!!

그 녀석의 목을 우리가 치게 해줘!!

과연….

털썩

털썩 털썩..!!

괜찮은걸…. 세계 제일의 검객!! 해적왕의 동지라면,

그쯤은 돼야지 내 얼굴이 서지!!!

될 참이냐?

'왕'이라도

앙?

털썩..

띠리링!!

그러게…. 선장과… 친구와의

약속이 있거든!!!

（사이타마현·히포아이언 씨）

O : 네! 일전에 말이죠, 여러분께 제가 질문한
'히간테 플루르'를 쓴 로빈의 가슴을 뒤덮은
저 선 대체 뭔데? 라는 문제! 수많은 답변을
받았습니다!! 그중 일부를 소개할게요!!

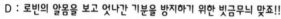

D : 저건 제가 로빈과 싸워서 묵사발이 났을 때
제가 유일하게 입힌 상처죠?
P.N. 타니구를 아는 레오

D : 로빈의 알몸을 보고 엇나간 기분을 방지하기 위한 빗금무늬 맞죠!!
P.N. 타마에몬

D : 저건 데모니오 라인이군요. 사람은 화나면 핏대가 서곤 하잖아요.
그 이상 화나게 하면 데모니오 플루르야!! 라는 경고 라인이에요.
P.N. 쿠리키 다이치

D : 애초에 저거 가슴이 아니라, 양파 아닐까요?
P.N. 에에야

O : 옳거니〰〰!! 그밖에 보내주신 수많은 의견 감사합니다!
자, 멋지게 공식 설정으로 선택받은 것은!!
뚜구뚜구뚜구뚜구〰〰 두웅!!
로빈 양, 발표를!!

로빈: '양파야♡ 후후후…!'

O : 양파였습니다—!!⚡ 가슴이 아니었어—!!

D : 오다 쌤, 안녕하세요!! 요새 SBS에서 슴가 소재가 그치질 않잖아요?
남자는 머릿속에 가슴밖에 없나?! 아연실색하면서 읽고 있습니다.
100권의 1페이지 통째로 찌찌 축제라니 슬퍼졌다구요.
순 변태 소굴이잖아!! 라고. 아시겠어요…?
우리 레이디들이 알고 싶은 것….
조로의 가슴둘레를 말하세요!!! P.N. 로로미키

O : 변태녀 등장이오—!!⚡ 끝이야—! 이 코너—.
제기랄! 조로의 가슴둘레 따위 알 게 뭐야—! 110 정도? SBS는 여기까지—!
하지만 이번 권은 징베의 성우·호키 씨의 SBS가 있어! (P168)

제 1034 화
'상디 vs. 퀸'

표지 리퀘스트 '축제의 과녁 맞히기에서 아이들을 위해 경품을 따내는 우솝' P.N 에피

해골 돔 좌뇌탑 '유곽'──

까악────!!

그 애라면 분명 무사할 거야!!

츄지가 보이지 않아서….

지금은 제 몸부터 지켜야지!!

더 안쪽으로 도망치자구요!!

오소메!! 이리로 나와. 다치겠어!!

…하지만 아직……

까아악────!!

'와노쿠니'에서도 도망쳐야 할 때라구!!

도망칠 수 있다면… 이 섬에서도!!

명안이외다!!

명안이외다!!

157

안 그래?!! '스텔스 블랙'!!!

과학자로서!! 내가 더 뛰어나다는 것을!!!

저지 녀석에게도 뻐길 수 있겠지!!

슈트를 입은 너를 때려눕히면

핑!

핑!!

내 알 바냐, 너희 악연 따위!!!

쿠두두

두

전부 조사 및 연구가 끝났어!!!

이거 놔!!

아까는 시치미를 뗐지만

으앗!!

'제르마의 과학'은!!

떠덩!!

159

콰

장

쾅

'윈치'

'윈치'!!

너희 형제의 기술은 전부 재현할 수 있다!!

콰

쿵

쾅!!

'당통'!!!

또 가족 취급을……!!

망할
애송이
~~~!!!

너
이 자식,

헉…
헉….

므하하하하하
~~~~!!!

내 언론의
자유를 뺏겠단
거냐?!

그놈들 이름을
내 앞에서
입에 담지 마
………!!

?!

충고는
했다……!!

'플랑셰(뱃살)
스트라이크'!!!

나의!!

커허억
~~~!!!

손으을
~~~
~~!!!

저 녀석도 사라졌잖아!!

엑~~~~ ~~~~!!

에에에엑

흐윽

그런 것까지 가능한 거냐.

나타나는 건 체력이 다했을 때다……!!

멍청하게 응수를 했군.

ㅈㅡ——…용

하지만 놈에게 슈트는 없어!! '고속이동'으로 인한 소실이야 …………!!

찾았다! 츄지!! 무사했구나!!

!!

찍찍

슝슝

찍

'외골격'에 지금까지 단련한 '무장색'을 더해… 보다 강인하고 보다 고온의 불꽃을 휘감은 다리가 된다!!!

'외골격', '근력', '이동속도'. 이것은 가산되는 힘이다.

'잠브 (脚)'!!!

'이프리트 (魔神風)'

화

쿠!!

수수께끼도 풀렸어…!!

무게도 다르다!!

가속도 달라!!

푸콰아앙

'콜리에 (목살)'!!!

너였던 거군?!! 퀸!!! …인간 말종 같으니!!!

까앙!!

?!!

까악—!!

!찍 !!

푸허억—!!!

까이악.

징베의 성우!!

（토치기현・카시키 씨）

호키 카츠히사 씨의

SBS

🎐 H・D・K (헬로, 다들, 강녕하신지)
다시 찾아온 '성우분의 SBS'! 오랜만입니다—.
10년 만이네요^^. 52권 루피 역의 '타나카 마유미 씨'를 시작해,
64권 브룩 역 '쵸 씨'까지 아홉 분을 다 했습니다만,
이번에 징베가 10번째 동료가 되어 여러분의 요청을 받았습니다^^!
자아, 그럼 가보도록 하죠!
이번에는 듬직한 조타수 징베의 목소리 주인!! 진짜루 의협심의 사나이!
호키 카츠히사 씨 in the house!!

O (오다) : 네, 호키 씨 모셨습니다. 자기소개 부탁드릴게요—!

H (호키) : 바다의 ♪ 사나이는 ♬ 모두 형제 에에 ♬

　　O : 오오오!! 잠깐잠깐잠깐!! 웬 노래를 부르시고 난리래!!
　　　　아니, 자기소개라니까요! 목에 자신이 있으신 건 잘 알겠고요!

　　H : 아, 그래? 같이 부를까? 음 바다의 ♪

　　O : 아니, 그만 됐으니깐요!! 진행이 안 돼!!

　　H : 마침내 동료가 된, 호키 카츠히사 입니다. 띠리딩!!

　　O : 진짜 띠리딩이네요. 와— 정말 여러모로 기다리셨어요. 독자분들도
　　　　기다리셨구요! 그럼 계속 뜸 들이기 그러니까 가볼게요!
　　　　SBS 코너입니다.
　　　　'SBS'가 무슨 줄임말인지 아시죠?

　　H : (S) 솔직히 (B) 본좌, (S) 사모하오?!

　　O : 사모하지만, 아니야^^!! 역시 말장난을^^. 정말이지.

　　H : (S) 솔직히 (B) 본좌, (B) 바보 개그 안 했오!!

　　O : 우려먹기 쫌!! 'SBB'잖아!! 이제 시간 됐어요. 제대로 해주세요!!
　　　　자, 엽서 여기 있습니다!! (부스럭)

　　H : 좋아, 붙들어 매시라!!

* 호키 카츠히사 씨의 SBS, 186P에서 이어갑니다!! ☞

제 1035 화
'조로 vs. 킹'

단기집중표지연재 제25탄 Vol.1 '탈출! 홀케이크 아일랜드'

두우웅!!

푸콰아…앙!!

콰직''

빠직‥!!

째릿

하아…
하아….

와아아아아아

172

사라질 때
움직임은
빨라지지만…!!

역시
그렇군….
등짝의
불이!

사악

……!!

안 그래도 성안이 불난리인 판인데…!!

부하를 소중히 여기라고.

!!

꼬아아아 아아악!!!

무슨 종족이냐? 네 녀석.

……

정부에 찌르기만 해도 1억?

애먼 곳에 화풀이 말고 이쪽에서 어때?

타타타탕!!

콰앙!!

알아서 어쩔 테냐!!

꾸극…!!

이제부터 죽을 남자가……

오래 끌면 칼한테 목숨을 빼앗길 거 같거든!!

그다지 시간이 없어….

하아… 하아…

그에 상응하는 위험은 느끼고 있다.

특수한 일족인 거 같기는 한데… 그건 내가 상관할 바 아냐….

나도 그래…!!

이제 충분히 군림했잖냐. 자리 비워라, 너희들.

하아… 하아…

카이도 씨야말로 '해적왕'이 될 남자!!

건방 떨지 마라….

'염왕(閻王)… 삼검류'

파직 파직…!

!

또
그거냐.

빼앗길 거
같아?!!

....
......!!

'명검'들을
!!!

〈원피스〉 103 권을 기대해 주세요!!

우리의 조타수 · 호키 카츠히사의!!

（토치기현 · 카시키 씨）

D (독자) : 호키 씨, 안녕하세요. 질문입니다만 말할 때 아랫니,
　　　　　방해되지 않으신가요?　　　　　P.N. 유우페코

H (호키) : 어인 치과의사한테 상담을 받았는데
　　　　　'뽑지 않는 편이 낫다' 라고 하던데 (웃음)

D : 호키 씨의 손에도, 물갈퀴가 있나요?　　　P.N. 로로미키

H : 물론! (흔적만이지만) 다들 있지 않나?

D : 호키 씨는 나미 누님과 로빈 양,
　　어느 쪽이 타입이신지??　　P.N. 로로미키

H : 로빈. 어인에 대해서 잘 알 거 같으니까.

D : 격투기 같은 거 하신 적 있으세요?　P.N. 라멘마루

H : 초등학교 3학년 때부터 유도를 했습니다.
　　검은 띠예요!

D : 호키 씨, 만약 징베가 악마의 열매를 먹었다면,
　　어떤 열매였을 거 같나요?　　　P.N. 420랜드

H : 육지에서도 바다에서도 살 수 있는 어인이기에
　　'새새 열매'!
　　하지만 헤엄칠 수 없게 되는 건 너무 괴로워!

D : 호키 씨는 역시 인어를 좋아하나요?　　P.N. 매치와 타케시

H : 미인 인어는 좋아하지요 (웃음)

D : 좋아하는 생선을 알려주세요.　P.N. 매치와 타케시

H : 눈볼대(농어류)! 맛있으니까!

D : 징베와 모리아. 연기하기 힘든 건
　　어느 쪽인가요?　　　　　　　　P.N. 에하라 로타
　　(※ 호키 씨는 겟코 모리아의 목소리도 연기하십니다)

H : 징베! 징베 자신이 우여곡절의 인생을
　　살아왔으니까.

D : 아무것도 안 보고 징베를
　　그려주세요.　　　　　P.N. 유우페코

H :

D : 징베를 사자성어로 표현한다면?
　　　　　　　　　　　P.N. 이케다

H : **와신상담**(臥薪嘗膽)!

D : 호키 씨에게 저 같은 게 질문을 해도 될지
　　생각하다 차마 붓을 들지 못해서...
　　받아랏! 네거티브 홀로우!!
　　　　　　　　　　　P.N. 옷치

H : ...으으... 어인 역할인데도 유치원 시절에
　　물에 빠져 허우적거린 경험이 있어 죄송합니다.

D : 징베가 했던 대사나 장면 중, 좋아하는 것을
　　알려주세요!!　　　P.N. 옷치

H : '미래의 '해적왕' 동료가 되겠다는 사내가
　　사황 나부랭이에 겁을 먹고 있을쏘냐!!!'
　　잔을 되돌리는 장면입니다!

D : 99권의 SBS에서, 징베의 특기 요리가
　　'가다랑어구이 (카츠오노타타키)'로 판명됐는데요!
　　호키 씨는 특기 요리가 있으신가요?　P.N. 시바

H : 채소볶음, 채소 라면. 어릴 때 스스로 해 먹었어요!

D : 호키 씨는 무슨 능력자인가요? 알려주세요!!
　　　　　　　　　　　P.N. 요 D

H : '**뿡뿡 열매**' 능력자! 방귀로 기절시키는
　　나를 가리켜, 사람들은 뿡타로라고 부른답니다....

O (오다) : 네! 호키 씨 수고 많으셨습니다 ∼∼. 시간이 됐네요!
　　'뿡뿡 열매'라니, 무슨 해괴한 말씀이십니까!
　　방귀 따위로 기절할 리가 없잖... 읍!! 구려... 털썩...!!!

H : 아. 오다 쌤!! 안 돼, 맥박이 없어. 그럼 모두, 해산!! 돌아갑시다!

CHAMP COMICS

원피스 102

2023년 11월 23일 초판 인쇄
2023년 11월 30일 초판 발행

저자 : EIICHIRO ODA
역자 : 길명
발 행 인 : 황민호
콘텐츠1사업본부장 : 이봉석
책임편집 : 조동빈 /정은경
발행처 : 대원씨아이(주)

ISBN 979-11-6918-094-8 07830
ISBN 978-89-8442-320-6 (세트)

서울특별시 용산구 한강대로 15길 9-12
전화 : 2071-2000 FAX : 797-1023
1992년 5월 11일 등록 제1992-000026호